Original title: Zwischen den Zeilen

Author: Sebastian Sarapuu
Editor: Jessica Elisabeth Luik
ISBN 978-9916-39-980-4

Zwischen den Zeilen

Sebastian Sarapuu

Verborgene Versprechen

Im Schattenflur der alten Zeit,
Wo geheime Pfade funkeln,
Erstrahlt ein Licht, verborgen weit,
In Tiefen, die bedächtig munkeln.

Ein Wind, der leise Lieder singt,
Trägt Träume in die Ferne,
Manch Herz, das still im Innern ringt,
Sehnt sich nach dem Sternenmeere.

Gedanken wandern sacht davon,
Wie Blätter in die Lüfte,
Sie suchen einen fernen Ton,
Verfließen sanft in Düfte.

Des Mondes Schein, so klar und rein,
Erleuchtet längst Vergangenes,
Verborgene Versprechen fein,
Flüstern von Verlangen.

Im Nebelmeer der Nacht verlor'n,
Erklingt ein leises Raunen,
Zurück bleibt nur ein stummes Ohr'n,
Mit Hoffen und Vertrauen.

Versteckte Wahrheiten

Tief in den Wellen des Geistes verborgen
Liegen die Wahrheiten, die wir nicht sehen
Unsere Träume, in Dunkelheit geschmiedet
Erzählen Geschichten von Licht und Wehmut

Unberührt von der Kälte der Logik
Wachsen sie, wild wie der Wind
Durch die Nacht in das Morgenlicht
Hoffnung entfaltet sich, wie ein Kind

In Schatten tanzen stille Gedanken
Verknüpft in einem verlorenen Lied
Ein Echo aus vergessenen Welten
Die Wahrheit flüstert, doch wir entfliehen

Ungehörte Worte

Zwischen den Zeilen, die wir nie sprachen
Suchen die Worte vergeblich Gehör
In den Brisen, die leise huschen
Tragen sie die Last der stummen Chöre

Unsere Herzen, obwohl laut schlagend
Verweigern oft den echten Ton
Durch das Schweigen in den Seelen tangend
Veröden die Klänge, wie blasser Mohn

Die Dunkelheit hält sie gefangen
Träume, die den Horizont berühren
Ohne Mut, den Weg zu gehen
Bleiben sie im Abgrund der Seelen erfroren

Ungesagte Gedanken

Gespenster in uns umherirrend
Tragen ihre ungesagten Teile
Führen den Tanz, ein stummes Spiel
Gedanken im endlosen Kreise

Zwischen den Sternen der Einsamkeit
Bilden sie geheimnisvolle Zeichen
Ketten der Zeit, gewoben aus Schweigen
Tragen die Sehnsucht, uns zu erreichen

Die Angst vor dem lauten Bekennen
Hält die Flügel in ihren Netzen
Gedanken, die nie frei werden
Verbleiben in inneren Grenzen

Schatten der Bedeutung

In jeder Silbe, die wir verlieren
Liegen Schatten der alten Bedeutung
Die Erinnerungen, zart und bitter
Führen uns zu manch alter Erkenntnis

Die Bilder, die wir täglich streifen
Verflüchtigen sich im Licht der Zeit
Doch ihre Schatten öde Begleiter
Flüstern uns von ihrer Endlichkeit

Ein Hauch von Ewigkeit in Worten
Die wie Blätter im Wind verwehen
Führen uns auf unbekannten Pfaden
Wo Bedeutungen stumm vergehen

Unerhörte Verse

Ein Wind, der leise flüstert
In der dunklen Nacht
Ein Traum, der alles umhüllt
In seiner zarten Pracht

Wo Worte keinen Klang finden
Doch tief im Herzen schwingen
Erzählen still die Binden
Von all den stummen Dingen

Ein Licht, dem keiner glaubt
Doch niemand kann es leugnen
Ein Stern, der niemals staubt
In tiefen Welten leuchten

Unsichtbare Hände weben
Im Stillen ihre Träume
Und Wirklichkeit umgeben
Mit zarten Poesiebäume

Ein Echo ungehört
Durch Zeit und Raum getragen
In uns die Sehnsucht nährt
Nach unerhörten Tagen

Mystische Schriften

Ein Buch in alten Zeichen
Geheimnisvoll und bunt
Die Zeit wird darin weichen
Ihr Schleier wird sich kund

Verborgen tief im Dunklen
Die Weisheit alter Zeit
Ein Rätsel bleibt uns funkeln
Durch die Unendlichkeit

Die Zeilen flüstern leise
Von fernem Weltenrausch
Ein Pfad durch Nebelreise
Ein nie gelöschter Hauch

In Seiten still versteckt
Die Wahrheiten der Weisen
Von Zukunft unentdeckt
Durch Sternenlicht gereisen

Ein Ozean aus Wörtern
Verwandelt sich im Licht
Uralte, uns bekömmmern
Und doch enträtseln nicht

Verborgene Melodien

Ein Klang in tiefen Wäldern
Von niemandem gehört
Verloren in den Feldern
Wo sich das Leben stört

Ein Lied in sanften Tönen
Verborgne Harmonie
In Mitternachtskronen
Erklingt die Symphonie

Der Schatten singt so stumm
Wo niemand ihn versteht
Ein Herzensrhythmus, stumm
Doch niemals ganz vergeht

Von fernen Welten her
Ein leises Flüstern zieht
Ein Jeder trägt sich schwer
In seiner Melodie

Verborgne Klänge klingen
In jedem Atemzug
Ein stilles Harfensingen
Ein Leben lang genug

Die Tiefe des Ungesagten

In Tiefen unerforscht
Liegt, was wir uns verschweigen
Ein Wort, das keiner horcht
Im dunklen Raum verbleiben

Die Stille spricht so laut
Vom Ungesagten leise
Ein Hauch, der niemals taut
Durch Seelenlangen Reise

Gedanken ohne Laut
In unsrem Herzen harren
Unsicher und vertraut
In Schweigsamkeit verharren

Ein Blick, der alles sagt
Doch keine Wörter kennt
Im Schweigen sich verjagt
Vom Wind, den keiner brennt

In Stille sich verstricken
Die Sehnsucht uns verführt
Ein Labyrinth aus Blicken
Wo Sprachlosigkeit regiert

Versiegelte Herzen

In einer stillen, dunklen Nacht,
wo kaum ein Sternlein lacht,
da hört man leises Flüstern,
Versprechen für immer und immer.

Doch tief in diesen Herzen,
ruhen schmerzliche Schmerzen.
Mit Wachs und Zorn versiegelt,
von Treue einst beflügelt.

Die Zeit heilt zwar alle Wunden,
doch Herzen bleiben gebunden.
An Ketten schwer aus Liebe,
kein Raum mehr für die Diebe.

So tragen wir die Narben,
die niemals ganz erstarren.
Leben in sanften Träumen,
bis wir uns neu versäumen.

Hinter dem Vorhang

Ein Blick des Lichtes blitzt hervor,
so still und leise, gar kein Chor.
Hinter dem Vorhang warten,
Geheimnisse des lauen Gartens.

Dort wo Schatten sich verstecken,
und flüsternde Stimmen schleichen.
Träume in der Stille weben,
Wahrheiten sich ins Dunkel legen.

Keine Angst vor dem Verborgenen,
alle Dinge hier sind sorgend.
Ein Paradies auf Rädern,
ein Schatz, den wir nicht prägen.

Hinter dem Vorhang, fern der Sicht,
leuchtet ein verborgenes Licht.
Es führt uns in die Tiefe,
zu verborgner Hoffnung Riefe.

Stumme Elegien

In der Stille jener Nächte,
wo die Sterne sanft sich neigten.
Erklingen stumme Elegien,
Melodien aus vergangnen Zeiten.

Kein Laut trennt hier die Stille,
das Wispern wird zum Wille.
Erinnerungen fliegen leise,
wie Vögel in verborgener Weise.

Die Zeilen längst geschrieben,
in Herzen tief verblieben.
Ein Echo der Vergangenheit,
das in der Zukunft weiter schreit.

Vereint in sanfter Stille,
gehört der Nacht ihr Friede.
Die stummen Elegien verweben,
ein Band zwischen Traum und Leben.

Verborgene Wünsche

Im Herzen tief verborgen,
ruht leises Sehnen ohne Morgen.
Wünsche in der Nacht gedeihen,
mit Sternenlicht als sanfte Weiden.

Kein Wort bringt sie zum Schweigen,
denn in Gedanken nur sie bleiben.
Ein Garten voller Blumenpracht,
der still gedeiht in uns'rer Nacht.

Wo Träume mit der Wirklichkeit,
ein sanftes Band der Zärtlichkeit.
Dort flüstern Wünsche ganz geheim,
im Herzen tief und ohne Schein.

Verborgne Wünsche, zahm und still,
erfüllen uns mit ihrem Will.
Ein zarter Hauch der Ewigkeit,
der uns begleitet allezeit.

Das Unsichtbare

Hinter dem Schleier der Zeit,
wo Schatten sich verstecken,
liegt das Unsichtbare bereit,
um unser Herz zu wecken.

Geflüster aus dem Äther,
ein Hauch des Unbekannten,
ein Tanz der feinen Feder,
den wir nicht erkannten.

Im Dunkel verborgen,
wo Träume leise weben,
finden wir jeden Morgen
das Licht im stillen Beben.

Die Sinne können nicht fassen,
was jenseits liegt der Mauer,
wir müssen loslassen,
dann blüht die wahre Dauer.

Flüstern im Wind

Ein Flüstern geht durch die Bäume,
erzählt von alten Zeiten,
von längst vergessenen Träumen,
die Geister uns bereiten.

Der Wind trägt leise Lieder,
von Ferne klingt sein Klang,
die Worte flattern nieder,
gefangen im Gesang.

In nächtlicher Stille lauschen,
wir dem geheimen Wort,
das Blätter sanft rauschen,
umflüstert an jedem Ort.

Horizonte weit sich neigen,
wenn der Sturm sich legt,
ein heimliches Verzeihen,
das in der Seele trägt.

Ungesprochene Geheimnisse

In den Tiefen des Herzens versteckt,
liegen die leisen Geheimnisse,
die kein Mund je entdeckt,
doch die Seele ergreifen müssen.

Ein Blick ist oft ein Zeichen,
ein stummes, tiefes Fühlen,
welches die Worte weichen,
unsere Gedanken kühlen.

In der Stille liegt die Macht,
eine Sprache ohne Lärm,
die im Dunkel der Nacht
unser Herz erreicht zum Kern.

Verborgen und doch so nah,
flüstert die Wahrheit leise,
ymmer da, immer klar,
eine stumme, ehrliche Weise.

Rätsel der Seele

Tief in der Seele verborgen,
ruhen die Rätsel der Zeit,
wie ein unentdeckter Morgen,
dessen Licht uns befreit.

Der Geist sucht nach Zeichen,
die Muster zu erkennen,
will die Schleier erweichen,
und die Wahrheit benennen.

Ein Funke im Innern glimmt,
doch das Rätsel bleibt bestehen,
erst wenn der Verstand schwimmt,
kann das innere Licht uns sehen.

In Gedanken und Träumen,
schimmern die Spuren zart,
wenn wir die Rätsel versäumen,
ist unser Herz verfahren und unklar.

Geschriebene Geheimnisse

Auf leisen Pfaden
liegt das Wort verborgen
in schattigen Gärten
und stillen Morgen.

Ein Wispern im Wind
trägt Geschichten fort
von fremden Ländern
in fernem Ort.

Das Herz beschützt
die heimlichen Briefe
die in der Seele
tiief vergraben blieben.

Es flüstert der Mond
von ungesehenen Kräften
und der Sehnsucht,
die wir oft vergaßen.

In jeder Zeile
tanzen diese Zeichen
deren wahre Bedeutung
wir kaum begreifen.

Im Schatten verborgen

Im dunklen Walde
schweigen die Bäume
und Schatten flüstern
von alten Träumen.

Ein Rascheln im Laub
führt uns immer tiefer
zu den stillen Pfaden
der Seele hinüber.

Das Licht der Ferne
bleibt unerreicht
und der Nebel
verschleiert das Licht.

An verborgenen Stellen
atmen die Geheimnisse
die wir einst fanden
in unserer Kindheit.

Im Schattenreich
ruhen die vergrabenen
die verloren gegangenen
und die nie verstandenen.

Zwischen den Andeutungen

Jedes Wort trägt
einen Hauch von Seele
in den Zeilen versteckt
was wir nicht erzählen.

Ein Blick, ein Whispern
intense Verbindung
macht das Unsichtbare
zum kurzen Erklimmen.

In der Tiefe
lässt sich erahnen
was wir oft zwischen
den Andeutungen fanden.

Die Wahrheit versteckt
sich in den Bruchstücken
das Verborgene leuchtet
im Herzensblicken.

Wir entziffern kaum
die gemalten Bilder
von Zeiten, die längst
in Nebeln verwildert.

Verborgene Schönheiten

Im sanften Licht
erblühen die Blumen
deren Farbenpracht
wir leise nur ahnen.

Sie flüstern von Welten
versteckt hinter Sicht
deren Schönheit entdecken
nur stille Gedichte.

Das Blatt im Wind
schwingt sachte
trägt Geschichten fort
von verborgenen Nächten.

In jeder kleinen
unscheinbaren Pracht
lauert die Wunderwelt
die uns oft entfacht.

Verborgene Schönheiten
ruhig und leise
werden erkannt
auf unserer Reise.

Stillen Ruf

Ein Baum, der schweigend neigt sein Haupt,
In sanfter Brise mild gewiegt.
Blätterflüstern leise taucht,
In das Lied, das heimlich liegt.

Mondlicht auf dem Wasser tanzt,
Silbern strahlt im stillen Ruf.
Eine Seele, die einsam glanzt,
Die vom Frieden heimlich ruft.

Sternenglanz im dunklen Meer,
Zeichnet Pfade in die Nacht.
Der Wind, er flüstert mehr und mehr,
Von dem, was tief im Herz erwacht.

Hinter den Buchstaben

Buchstaben, die auf Seiten singen,
Geschichten, die im Geiste klingen.
Wörter, die die Seele zwingen,
In Welten tief versunken schwingen.

Hinter ihnen, fern verborgen,
Liegt ein Land voll bunter Bogen.
Träume dort, die keine Sorgen,
Wachsen frei, am Licht gezogen.

Jeder Satz, ein schillernd' Tor,
Zu Welten, die wir nie sah'n.
Jedes Wort, ein stilles Ohr,
Das lauscht, was nie gescheh'n.

Doppelter Boden

Unter all dem Glanz und Schein,
Liegt ein Boden, hart und schwer.
Zwischen Welten, grob und fein,
Wahrt er still das große Meer.

Doppelter Boden, tief verborgen,
Fängt er Seelen auf im Fall.
Schützt sie sanft vor all den Sorgen,
Fängt auf, wo sonst nur Leere hall.

Ruhe findet, der dort fällt,
Geborgenheit im dunklen Grund.
In der Tiefe, einer Welt,
Die still verbindet, Herz um Mund.

Zwischen den Schatten

Zwischen Schatten, grau und blass,
Lebt ein Licht, das klar erstrahlt.
Durch die Dunkelheit von Hass,
Silbern fein, ein Traum bemalt.

Jedes Flüstern, jedes Glühen,
Zwischen Mauern, schwarz und kalt.
Lässt das Herz in Hoffnung spüren,
Dass der Tag sich bald entfaltet.

Brücken, die sich heimlich spannen,
Zwischen Welten, schwarz und weiß.
Zeigen Wege, die uns kannten,
Wandern, wohin der Geist uns weist.

Unklare Horizonte

Im Nebel liegt die Ferne,
verblasst im Tageslicht.
Was wird sein, und was war,
geheimnisvolle Sicht.

Wellen tragen Wünsche fort,
sehnsuchtsvoll, doch blind.
Hoffnung schwimmt im Sturm,
wo Träume flüchtig sind.

Des Himmels Grau umhüllt,
ders Sternenblick verhallt.
Doch hinter Wolken wartet,
ein Lichtstrahl, jung und alt.

Der Wind flüstert Geschichten,
von gestern und von heut'.
Ein Horizont der Hoffnung,
in endloser Zeit.

Verborgene Gedanken träumen,
von Welten unbekannt.
Doch selbst die dunkelsten Stunden,
alte Sehnsüchte verbannt.

Rätselhafte Twists

In der Stille der Nacht,
ein Rätsel sich entfaltet.
Gedanken wirbeln leise,
im Mondsilber gestalten.

Wo Wege sich verflechten,
kein Pfad wirklich klar.
Das Schicksal dreht die Karten,
was gestern oft geschah.

Verborgene Hinweise,
im Schatten stets verborgen.
Was heute uns verwundert,
ist des Sehers Sorgen.

Ein Lächeln ohne Grund,
ein Echo ohne Klang.
Unendliche Geheimnisse,
des Lebens stiller Drang.

Dreh dich, dreh dich Kreuz,
die Wahrheit liegt verborgen.
Durchs Rätsel führt die Reise,
wo Seelen ungeschoren.

Wispernde Wege

Durch den Wald ein Flüstern,
ein Pfad voll stiller Ruhe.
Wo Bäume leise singen,
schwebt Hoffnung stets dazu.

Ein Wispern in den Blättern,
ein Echo aus der Zeit.
Geschichten alter Tage,
kein Ende ist in Sicht.

Wo Wege sich verlieren,
in grünem Meeresgrund.
Da spricht die Erde leise,
ein Wispern tief im Mund.

Im Dickicht der Gedanken,
ein Flüstern stets verweilt.
Die Sehnsucht nach dem Frieden,
die Reise ungeteilt.

Stille, die uns umarmt,
versteh die Psyche sacht.
Die Wege, die wir wählen,
wo Herz und Seele wacht.

Im verborgenen Schatten

Ein Hauch des Unerkannten,
ein Schatten in der Nacht.
Was Augen nicht erfassen,
hat Herz und Seele bedacht.

Im Dunkeln liegt das Warten,
von Tag und Traum geteilt.
Wo Rätsel still verweilen,
da lebt das Unvermeid'.

Gedanken, die verhüllten,
was Worte nie erklang.
Verborgene Geschichten,
ein ungenannter Drang.

In Schatten wandern Seelen,
durch Träume still und leise.
Ein Hauch von Ewigkeit,
auf ewig unsrer Reise.

Sind Sterne erst verhangen,
wird Wahrheit neu entfacht.
Im Schatten liegt das Morgengrau,
ein neuer Tag erwacht.

Schattensprachen

Durch das Dunkel, leis' verweht,
Flüstern Schatten in der Nacht,
Geister fliehen, unentdeckt,
Geheimer Worte leise Macht.

Unter Sternenzelt verborgen,
Tanzen Silben, sanft und weit,
Wispern Träume, ganz im Morgen,
Zwischen Welten, Raum und Zeit.

In den Tiefen, unheilvoll,
Formen Schatten ihre Sagen,
Zwischen Säulen, endlos, hohl,
Klangen Worte, die nicht fragen.

Semantisches Unterholz

Im Dickicht der Gedankenwelt,
Verbirgt sich Flüstern, sanft und leis,
Wo tief im Wald das Schweigen fällt,
Verworrene Pfade, stiller Kreis.

Zwischen Zweigen, Wortgewirr,
Verweben Träume sich zu Raum,
Bilden Bilder, fließen hier,
Ein semantisch dichter Traum.

Wurzeln, die geheimnisvoll,
In die Tiefe, endlos ziehn,
Zwischen Zeichen laut und hohl,
Spinnen ihren Sinn, doch wann, doch wie?

Im Licht geflüstert

Sonnenstrahlen, zart und fein,
Küsse fließen, hell und klar,
In des Morgens goldnen Schein,
Flüstern Worte, wunderbar.

Schimmernd, in dem Hauch des Frühlings,
Tanzen Silben, leicht bewegt,
Leben webt sich, ewig strahlend,
Ein Gedicht, das sich erregt.

Mit dem Licht, das tief ins Herz,
Senden Zeilen, leis erfüllt,
Flüstern Träume, ohne Schmerz,
Eine Welt, die Liebe hüllt.

Kiemenzwischenspiel

In den Tiefen, unentdeckt,
Zwischen Wellen, still und klar,
Wo die Strömung Träume weckt,
Fische flüstern wunderbar.

Salzgeruch, der Atem trägt,
Muscheln wispern, sanft und sacht,
Eine Melodie bewegt,
Nacht im Wasser, endlos Nacht.

Zwischen Kiemen, leise Stimmen,
Ein Gespräch, das niemals ruht,
Tief im Blau, das Lichter dimmen,
Erzählt das Meer von seiner Flut.

Gedankliche Echos

Durch die stillen Räume fließen
Geisterstimmen, die uns grüßen
Echo jeder tiefen Regung
Wellen sanfter Seelenbeugung

In den Wänden, fern und leise
Spiegelt sich der Zeit Vergangenheit
Gedanken, die uns sanft umkreisen
Schatten der Unendlichkeit

Jedes Wort ein flüstern, fein
In des Geistes tiefstem Schrein
Widerhall der Seelenruhen
In unhörbar tiefen Fluren

Fäden des Verborgenen

Durch des Lebens dichte Bahnen
Weben wir aus Licht und Schatten
Fäden, die ins Dunkel greifen
Geheimnisse, die uns begleiten

Unsichtbare Hände leiten
Jede Wendung, jeder Schritt
In den Tiefen dieser Weiten
Liegt das Mysterium versteckt

Was verborgen scheint und still
Formt den Raum, den Klang, das Ziel
In den Fäden dieser Zeiten
Sind wir ewig, unbeirrt

Zauber der Andeutungen

Im Halbschatten, in den Zeichen
Liegt ein Zauber, fein und zart
Kleiner Andeutungen Zeichen
Lassen Welten hier erwachen

Durch den Nebel, sanft und weich
Zeigen sich die Welten neu
Zauberkerze in der Hand
Führt uns durch das Geisterland

Jedes Rätsel, das sich regt
In den Wörtern, die man webt
Führt uns tief in Traumes Reich
Offenbart, was uns bewegt

Voiceless Verses

Stille Worte, ohne Schall
Winden sich im Geisteshall
Ohne Laut und ohne Klang
Finden sie zum Herzangstang

Voiceless Verses in der Nacht
Bringen Lichter, leis entfacht
Flüsternd zarte Melodien
Sanft durch uns're Seelen ziehen

Farbenspiele, leise, rein
In den Tiefen, uns'rem Sein
Durch die Dunkelheit, so dicht
Bricht ein neues, stilles Licht

Stille Mysterien

In der Nächte stiller Flimmer,
Liegen Träume wie im Dunst,
Sterne flüstern leise Chimmer,
In des Mondes sanftem Kunst.

Schwarzer Himmel birgt Geheimnis,
Schatten sind darin verworren,
Augen sehen ohne Zeugniss,
Seelen, die im Wind verloren.

Zarte Ahnungen erheben,
Flügel wehen durch die Luft,
Herzen schlagen, leise beben,
Tiefer Atem, kalter Duft.

Tränen fließen ungehört,
In des Dunkels tiefer Nacht,
Leise Stimmen sind betört,
Von der Hoffnung sacht bewacht.

Morgen graut, das Licht erwacht,
Mysterien sich still verziehen,
Seelen reisen durch die Nacht,
In den Strahlen sanft entfliehen.

Verschlüsselte Signale

Lichter blinken, Zeichen tanzen,
In der Dunkelheit der Nacht,
Botschaften in seltsam Glanzen,
Welten, die man nicht erwacht.

Schritte klingen durch die Gassen,
Echos, die verloren hallen,
Worte, die wir kaum erfassen,
Geist und Herz hernieder fallen.

Geheimnisse, tief verborgen,
Hoffnung in den Blicken scheinen,
Ob wir reden, sorgen, sagen,
Alles bleibt in Nebel einen.

Symbole, die an Wänden prangen,
Fremde Schriften, die uns locken,
Träume bleiben unbefangen,
Verschwundene die uns stocken.

Morgenlicht enthüllt die Nacht,
Was im Dunklen uns gefangen,
Schlüssel in das Herz gebracht,
Zeichen, die wir endlich fanden.

Wörter im Schatten

Wände flüstern alte Sagen,
Wörter steigen aus den Ritzen,
Höher, tiefer wir sie fragen,
Schatten, die im Dunkel sitzen.

Stille Stimmen hauchen leise,
Weise Lehren, tief verborgen,
In den Wänden ihre Reise,
Hoffnung, die an Zeilen borgen.

Wörter schweigen, klingen rauschend,
Durch die Räume, dunklen Hallen,
Im Gehörgang Worte lauschen,
Gläser, die in Trauer fallen.

Schriften, die ins Herz gedrungen,
Klagelieder, längst verloren,
Alte Lieder, ungesungen,
Die im Schatten fast erfroren.

Licht, das Dunkel sanft durchdringt,
Schrift und Schattenspiel erhellen,
Wörter singen, die erkühlen,
Wände, die uns Läuter sellen.

Ungreifbare Geheimnisse

Nebelschleier, zarte Schwaden,
Hüllen uns in kalter Nacht,
Geheimnisse, die uns tragen,
Ungewiss und unverzagt.

Schritte, die im Dunkel hallen,
Rufe, die man nicht versteht,
Geister, die im Nebel fallen,
Kalter Hauch, der uns umweht.

Flüstern, das am Ohre zehrt,
Leise Lieder ferner Zeiten,
Seele, die nie Ruhe findet,
In den Tiefen Einsamkeiten.

Augen blinzeln, Blicke schärfen,
Schleier, die uns zart verhüllen,
Falsche Schatten, die wir werfen,
In der Nacht sich sacht enthüllen.

Traumbilder, die uns begleiten,
In den Ängsten uns umfangen,
Seelen, die im Dunklen streiten,
Was geheimnisvoll vergangen.

Die leisen Töne

In der Stille, die uns umfängt,
liegen Worte, ungesagt,
sacht wie Seide, kaum gehängt,
von der Nachtlandschaft vertagt.

Schatten tanzen leicht und fein,
flüstern zarte Melodien,
keiner hört sie, nur allein,
schweigen wir in Symphonien.

Winde träumen sanfte Lieder,
die das Herz im Innern kennt,
fern und nah, sie kehren wieder,
Stille schweigt, was Liebe nennt.

Dort im Dunkel, still verborgen,
lauschen wir dem leisen Ton,
fühlen nah des Himmels Morgen,
ebenholzgleich, unison.

Wellen schlagen, tief im Grunde,
Echos tragen weit den Klang,
Zeit enthüllt in stiller Stunde,
die Melodie, die vor uns rang.

Im Dunkel verborgen

Schattenflügel, weit entfaltet,
tragen uns durch schwarze Nacht,
wo das Licht der Welt verhalltet,
keiner leise Antwort macht.

Fern in Tiefen, wo wir träumen,
wo der Stern durch Wolken bricht,
Finsternis kann nichts versäumen,
schweigt das Herz, vergisst das Licht.

Mondlicht schimmert, sacht vergebens,
hüllt die Welt in silbern Schein,
Träume weben dunkle Lebens,
Schicksalsfäden, fein und rein.

Kälte nährt die stillen Ängste,
hüllt die Welt in grauem Glanz,
wo das Dunkel zart und lenkste,
findet sich ein sanfter Kranz.

Tief verborgen, kann uns heilen,
was die Stille lang verschwiegen,
wo die Herzen zögernd weilen,
wird der dunkle Raum befliegen.

Flüsternde Fäden

Zarter Wind in Bäumen rauscht,
flüstert Worte, leis und klar,
jeder Hauch, der uns berauscht,
spricht von Träumen, wunderbar.

Fäden weben sich im Stillen,
verbinden Zeit und Raum,
Träume, die das Herz erfüllen,
werden wahr in sanftem Traum.

Hände greifen nach den Sternen,
folgen leisem Flüstern hin,
wo die fernen Lichter fernen,
erfüllt uns eine Sinn.

Unsichtbare Bänder halten,
was das Herz an Liebe schenkt,
Ewigkeiten, die sich falten,
sind im Licht, das sanft uns lenkt.

Wortlos öffnet sich die Zukunft,
lauscht dem Echo in der Zeit,
wo Vergangenheit ist Grundlage,
fühlen wir das Ewigkeit.

Stille Zeugen

Mauern flüstern, alt und schweigsam,
von den Zeiten, die vergehen,
Zeugen bleiben, stumm und langsam,
während wir die Pfade gehen.

Stille Schatten, die sich reihen,
erzählen still von längst Verwehten,
was vergangene Tage freiin,
kann die Seele nur erahnen.

Nebel steigen aus dem Boden,
bringen längst Vergessen wieder,
weisen auf vergangene Pfaden,
wo die alten Lieder schwingen.

Blätter fallen, weich und leise,
decken still den alten Grund,
Stille breitet sanft die Reise,
die der Räume, fern und rund.

Ein jedes Echo kehrt zurücke,
wo die Welt in Schatten liegt,
Stille Zeugen, die uns begleite,
sind die Zeit, die ewig siegt.

Im Flüstern der Nacht

Die Nacht in sanften Tönen
erzählt von fernem Licht,
von Träumen, die entschweben
in Schatten und Gedicht.

Der Sternenwind, er tanzt
durch die unendliche Weite,
wo still das Herz verlanget
nach einer fernen Seite.

Im stillen Raume flüstert
das Unaussprechliche,
ein Hauch von alten Wunden,
ein Lied so zerbrechlich.

Die Dunkelheit sie deckt
das Land in tiefem Schlaf,
das Sehnen, das nicht endet,
der Mond, der danach straf'.

Und in der Finsternis
des nächtlichen Gewandes,
find' ich die Melodie
des flüstr'nden Verstandes.

Hinter den Zeilen

Ein Wort, das still verbirgt
die Wahrheit hinter Mauern,
im Buch, das längst verstaubt
die Zeichen unaufhörlich.

Es webt mit zarten Fäden
ein Bild, das sich entfremdet,
doch hinter diesen Zeilen
die Herzen lang verendet.

Gedanken voller Sehnsucht,
im Dunkel längst vergessen,
doch wenn du tief hineinblickst
die Seele unverressen.

Ein Hauch von alten Klängen,
ein Duft, der nie vergeht,
die Worte tief verborgen,
ein Geisterlied entsteht.

So lies und lass dich führen,
zu Orten, die dich meiden,
denn all das wahre Leben
liegt – hinter den Zeilen.

Rätsel der Schrift

Ein Blatt, von Zeit berührt,
die Feder tanzt im Reigen,
ein Rätsel tief verführt,
das Wort will niemals schweigen.

Die Linien zeichnen Spuren,
ein Pfad durch dunkle Wälder,
ist's Wahrheit oder Lügen
durch Schrift, die niemals älter?

Die Tinte fließt in Rinnen,
wie Blut aus tiefen Wunden,
ein Rätsel stets zu finden
im Kreis der ungebunden.

Die Seiten sind verschlossen,
die Tür zum tiefen Graben,
und wenn sie sich erschlossen,
den Schlüssel wirst du haben.

Die Schleier hebt sich leise,
das Rätsel klar geschrieben,
doch wer es ganz versteht,
hat sein Geheimnis lieben.

Echoes der Stille

In der Nacht, so fern und leise,
Hört man Klänge tief im Wind,
Schatten tanzen, Formen kreisen,
Doch der Ursprung bleibt gesinnt.

Zwischen Sternen, hoch am Himmel,
Spürt man flüstern, kaum erfasst,
Geisteshauch und Mondeskribbel,
Wellen stillen jede Rast.

Bäume raunen urerinnernd,
Flüsse murmeln fern vertraut,
Zeit verweilt, fast keine minder,
So wird Stille laut beschaut.

Im Echo der Natur erwogen,
Sind die Sterne klanglos klar,
Welten, die in Träumen flogen,
Bleiben ewig unsichtbar.

Töne, die in Stille wandern,
Führen stets zum Ursprungsort,
Leben, das wir oft erahnen,
Liegt in Klängen sanft verborgen.

Stille Symphonien

In der Weite, fern und klar,
Spielen Winde sanfte Lieder,
Zwischen Zweigen wunderbar,
Atmet Wald im stillen Flieder.

Wogen schlagen sanft am Strand,
Wellen flüstern, leise klingen,
Über Meeren, über Land,
Symphonien der Stille singen.

Berge tragen alte Töne,
Felsen hallen Widerhall,
Erdenlied in Ewigschöne,
Kündet still vom Weltenall.

Jede Note tief verborgen,
In der Schöpfung weiter Brust,
Symphonien, wie nie vernommen,
Klingen leise, dennoch bewusst.

So spielt Zeit im Takt des Seins,
Stille Klang in jeder Stunde,
Währt in uns, wie sanft ein Reim,
Symphonien uns stets bekunde.

Verborgene Symphonien

In den Tiefen der Gedanken,
Hört man Klänge, kaum gemacht,
Schatten, die sich lautlos ranken,
Formen Stille in der Nacht.

Flüsternd in den Träumen hängen,
Melodien, die keiner kennt,
Zwischen Worten, die verschränken,
Wann ein Tag im Lichte brennt.

Blätter rauschen, Winde lehren,
Wie verborgenes Lied erblüht,
Jede Note, die wir ehren,
Ist ein Vers im Herzen glüht.

Glocken schwingen in den Fernen,
Echo klingt im Dauerton,
Symphonien, die verzehren,
Resonieren unverhofft davon.

So schreibt Zeit im stillen Reigen,
Töne, die im Dämmerflies,
Harmonien, die wir schweigen,
Singen stets, selbst beim Verlies.

Im Glanz der Dunkelheit

Wenn die Nacht in Schatten kleide,
Sterne funkeln, still und weit,
Glitzernd über dunkler Heide,
Leuchtet tief die Dunkelheit.

Mondensilber scheint im Traume,
Führt uns sacht in fernes Land,
Stille trägt uns, wie ein Baume,
Im Geleucht der Nacht so grand.

In der Tiefe, wo kein Sprechen,
Findet Licht im Dunklen Ruh,
Sterne, die uns Nacht erwecken,
Leuchten sanft nur mir und du.

Dämmerung erhellt Gedanken,
Licht umfängt die Seele sacht,
Zwischen Welten, die hier ranken,
Glänzt die Dunkelheit mit Pracht.

So führt Nacht mit hellem Scheine,
Uns durch Träume ohne Zeit,
Glanz der Dunkelheit erscheine,
Bleibt im Herzen, ewig weit.

Verborgene Geschichten

In alten Büchern und Gemäuern,
Liegen die Geheimnisse der Zeit.
Manchmal flüstern sie uns zu,
Von Sehnsucht und von Leidenschaft.

Eingebettet in die Zeilen,
Schweigen die Stimmen der Vergangenheit.
Wer sie zu hören weiß,
Befreit die Träume aus der Dunkelheit.

Durch vergilbte Seiten blätternd,
Offenbaren sich die Mythen.
Jedem Wanderer, der ruhig lauscht,
Erleben sich verborgene Geschichten.

Denn was die Schrift uns hinterließ,
Ist mehr als bloße Worte.
Es sind die Spuren alter Seelen,
Von denen wir heute noch zehren.

Wenn wir still verweilen,
Und in den Buchstaben versinken,
Können wir sie erwecken,
Die längst vergessenen Geschichten.

Hinter dem Schleier

Hinter dem Schleier aus Nebel,
Verbergen sich die tiefen Fragen.
Jeder Schritt, ein kleines Beben,
Was mag das Herz ertragen?

Ein Blick in ungewisse Weiten,
Hält die Seele fest umschlungen.
Doch in dieser stillen Dunkelheit,
Wach sind längst vergangene Stunden.

Geräusche flüstern schwaches Murren,
Die Nacht birgt viele Geheimnisse.
Unter dem Mantel der Sterne,
Erwachen verborgene Abgründe.

Doch der Schleier hebt sich sanft,
Mit dem ersten Morgengrauen.
Was die Nacht verbarg so ängstlich,
Darf das Licht nun frei beschauen.

Die Antworten sind tief in uns,
Hinter dem Schleier aufbewahrt.
Gedanken strömen, Wellen gleich,
Das Geheimnis offenbart.

Das Unsichtbare offenbart

Ein Hauch von Ungewissheit,
Schwebt in der Luft so klar.
Das Unsichtbare offenbart,
Was bisher geheimnisvoll war.

Zwischen den Welten des Seins,
Kreist eine stille Macht.
Das Licht, es bricht die Linien,
Zum Vorschein kommt verborgene Pracht.

Dort, wo Schatten sich verweben,
Und die Farben sanft erblassen,
Zeigt sich das Unbekannte mild,
Wie Spuren auf verblassten Gassen.

Im Spiegel unserer Hoffnungen,
Erstrahlt das große Unbekannte.
Doch wer das Unsichtbare sucht,
Findet Weisheit im Gedankenbande.

Es sind die stillen Zeichen,
Die unser Herz verstehen mag.
Das Unsichtbare offenbart,
Was tief in uns verborgen lag.

Tatorte der Seele

Auf den Pfaden alter Träume,
Ruhen die Schatten der Vergangenheit.
Tatorte der tiefen Seele,
Erzählen von Liebe, Schmerz und Zeit.

Jedes Gefühl ein stummes Echo,
Das im Innern widerhallt.
Denn die Wunden der Erinnerung,
Sind tief und oft so kalt.

Doch in der Dunkelheit des Seins,
Funkelt ein Zauberlicht.
Es erhellt die finsteren Ecken,
Und bringt Frieden in die Sicht.

Tatorte der leidenden Seele,
Werden zu Gärten der Heilung.
Ja, im Verarbeiten der Geschichten,
Liegen die Samen der Vertilgung.

Es sind die Narben, die uns prägen,
Tatorte der Seelenkraft.
Jede Narbe eine Erinnerung,
Die uns zu uns selbst erschafft.

Unverlautete Träume

Im Mantel der Nacht, so tief und weit,
Verweilen Träume, die keiner kennt,
Wie Sterne, die kein Mensch je zeigt,
Ein Flüstern, das die Stille trennt.

Vergangene Zeiten, verstaubt und grau,
Fühlen sich an wie ein fernes Lied,
Versteckte Wünsche in diesem Raum,
Von denen niemand je spricht.

Träume, die in Herzen ruhen,
Unberührt von der lauten Welt,
Schattenspiegel in stillen Fluren,
Ganz leise, von Sternen erhellt.

Unentdeckte Pfade unter dem Mond,
Führen zu geheimen Orten hin,
Wo jede Sehnsucht laut wiegt und thront,
In einem Königreich aus Sinn.

Im Schlaf geboren und nie erzählt,
Verklingen sie im Morgenlicht,
Nur wenigen träumend auserwählt,
Bleiben sie der Nacht verpflichtet.

Zeichen im Nebel

Ein Schleier hebt sich, silbergrau,
Verhüllt den Pfad aus alter Zeit,
Zeichen, deren Ursprung ungenau,
Entziffern sich im Nebelweit.

Verborgene Bilder, fast erfragt,
Schweben wie Geisterhand gerann,
Antworten, die der Wind vertagt,
Beschützt vor einem neugierigen Bann.

Unsichtbare Hände formen Lauf,
Führen durch unsichtbare Tür,
Wo sich der Zweifel löst bald auf,
Im dichten Nebel finden wir.

Jeder Schritt ein Wagnis neu,
So suchen wir den Weg zur Klarheit,
Die Zeichen sind, sie bleiben treu,
Des Herzens Kompass, Zeit für Zeit.

Im Nebel erfüllt sich die Vision,
Ein Traum aus einem fernen Raum,
Im Rätsel, das allein uns lohn'
Ersteht ein neuer Glaube, kaum.

Im Schatten des Lichts

Im Schatten blüh'n die Farben still,
Die Nacht erließt den Tag vertraglich,
Ein Stern blinkt dort, wo ich verhüll,
Die Finsternis macht alles fachlich.

Zwischen Licht und Dunkelheit,
Geboren sind wir Worte klein,
Eine Melodie aus Ungewissheit,
Ein Tanz um Licht und Schattenlein.

Von Sonnenuntergang geführt,
Durch Dämmerung, bis Mond erhellt,
Das Gleichgewicht nicht lang gestört,
Von Himmelsstrahlen oft bestellt.

Schatten erzählen von Lichtes Schein,
Von Wärme, die stets leise flieht,
Doch kehrt sie bald im Morgenschein,
Und eine neue Zeit beginnt.

Im Kreislauf dieser Zartheit dann,
Finden wir Sinn im Übergang,
Im Schatten bleibt der Herzmann dran,
Von Licht zu Schatten, immer lang.

Geflüsterte Geschichten

In Nächten, die mit Sternen blinken,
Erzählt die Stille alte Mär,
Geschichten, die wie Schatten sinken,
Geflüstert werden, schmerzend schwer.

Vergangene Zeiten, alte Träume,
Erneut zum Leben leise rasch,
In feine Worte, wie Flaum, umsäume,
Erzählt vom Wind, ganz sanft und hasch.

Ein Wispern, das die Herzen findet,
Verlässt nie ganz den Ursprung Raum,
Ein Funke, der in Trauer schwindet,
Doch bleibt zurück als letzter Traum.

Hinauf getragen zu den Sternen,
Verwehen diese in das Nichts,
Doch in den Herzen stets im Fernen,
Funkeln die Geschichten dicht.

Ein Erbe dieser alten Weisen,
Blüht in der Seele, tief versinkt,
Eingraviert in unsere Reisen,
Die uns zu diesem Flüstern bringt.

Echo im Verborgenen

Ein leises Flüstern, von fern her gehört,
Ein Echo im Verborgenen, das niemand stört.
Es hallt durch die Zeiten, vergessene Lieder,
Bringt Gedanken ans Licht, kehrt immer wieder.

In Höhlen und Tälern, im Dunkel gefangen,
Wo Geheimnisse wachsen, an Fäden gehangen.
Ein Ruf, der verhallt, doch nie ganz verschwunden,
Verlorene Worte, in Dunkelheit gefunden.

Der Wind trägt Geschichten, von längst vergangener Zeit,
Erinnerungen, die leuchten, wie Sterne so weit.
Sie sprechen vom Leben, von Freude und Schmerz,
Ein Echo im Schatten, tief in jedem Herz.

Und so reisen die Töne, durch die Ewigkeit,
Verborgen, doch stark, in voller Klarheit.
Sie singen von Liebe, von Hoffnung und Mut,
Ein Echo, das bleibt, egal, was man tut.

Welten hinter Worten

In jedem Wort, ein Universum versteckt,
Welten hinter Worten, durch Gedanken entdeckt.
Sie flüstern Geschichten, schweben im Raum,
Ziehen uns in den Bann, wie in einem Traum.

Jedes Buch, eine Reise, in eine andere Sphäre,
Seiten, die leuchten, in dunkler Atmosphäre.
Die Fantasie, sie malt, mit Farben so klar,
Welten hinter Worten, unendlich wunderbar.

Gedichte und Lieder, sie öffnen das Tor,
Zu Geheimnissen und Magie, wie nie zuvor.
Ein Reich aus Emotionen, aus Tränen und Lachen,
Welten hinter Worten, die in uns erwachen.

Lass uns lesen und lauschen, uns verlieren im Klang,
In den Melodien der Sprache, so ewig und lang.
Denn in jedem Satz, in jedem Vers, ganz tief,
Liegt eine Welt verborgen, die in uns lebt und blieb.

Versteckte Melodien

Tief in den Wäldern, wo das Licht kaum erreicht,
Liegen Melodien, verborgen, ganz leicht.
Sie singen von Frieden, von stiller Einsamkeit,
Von Träumen und Wesen, in verborgener Zeit.

Ein Flüstern im Wind, ein Ruf aus der Ferne,
Noten, die tanzen, wie leuchtende Sterne.
Die Blätter, sie rauschen, im sanften Takt,
Versteckte Melodien, die der Wald verpackt.

In den Tropfen des Regens, im Murmeln des Flusses,
Erklingt eine Symphonie, die niemand vermisst.
Ein Klang voller Zauber, voll Leben und Licht,
Versteckte Melodien, die keiner bricht.

Horch hin und lausche, öffne dein Herz,
Du wirst sie entdecken, den verborgenen Scherz.
In der Stille der Nacht, im Glanz des Morgens,
Erklingen die Lieder, wie verträumte Sorgen.

Im Verborgenen

Dunkelheit durchdringt den Raum,
Flüstern, leise, wie ein Traum.
Geheimnisse, die tief verborgen,
Hoffnungen auf neues Morgen.

In der Stille, zwischen den Tönen,
Gedankenwelt, so voller Schönen.
Nichts ist, wie es scheint zu sein,
Verstecke mich, im Schatten dein.

Die Zeit vergeht, doch bleibt der Schmerz,
Im Innern brennt ein großes Herz.
Gefühle, die im Dunkeln warten,
Hoffnung noch, auf neuen Garten.

Das Licht in Ferne, zart und klein,
Lässt Hoffnung auf ein Morgen sein.
Im Verborgenen, da leben Träume,
Wie in alten, wilden Bäume.

Zwischen den Welten

Ein Schritt hinauf, ein Schritt zurück,
Spüren wir des Lebens Glück.
Zwischen Zeiten, zwischen Räumen,
Träumen wir in wachen Träumen.

Ein Flüstern, fern aus andren Sphären,
Lässt uns Zukunft neu erklären.
Zwischen Welten, nie allein,
Dort, wo Schatten sich vereinen.

Grenze, die uns stets verbindet,
Da, wo Neues stets beginnt.
Welten wandeln, Sinn entfachen,
In das Dunkle, Lichter bringen.

Gebete, die durch Nächte schweben,
Lassen uns in Frieden leben.
Zwischen Welten, wie ein Spiel,
Wandern wir durch dieses Ziel.

Nein

Ein Wort so stark, ein Wort so klar,
Verwehrt der Welt das, was nicht wahr.
Ein Nein, das Mauern schlagend bricht,
Zeigt uns Wahrheit, und zwar licht.

Grenzen setzen, Stimme erheben,
Für das Wahre, für das Leben.
Ein Nein, das Freiheit laut verteidigt,
Und des Herzens Traum befreit.

Doch stark in diesem Nein zu sein,
Ist manchmal Schatten, manchmal Pein.
Es braucht den Mut, es braucht die Kraft,
Dass das, was kommt, wahre Heimat schafft.

Ein Nein, das manchmal rettend wirkt,
Ein Schild, das unser Herz beschirmt.
So sei ein Nein, das stark begehrt,
Damit das Ja im Herzen währt.

Noch Tiefer

Noch tiefer tauchen, in die See,
Wo keine Angst den Weg versperrt.
In Tiefen, die nie jemand sah,
Erleben wir, was uns gehört.

Noch tiefer fühlen, Licht und Schatten,
Wo Träume, wie die Perlen glühen.
Tauchen wir in Seelenbäder,
Wo Herzen sich in Frieden wiegen.

Noch tiefer, tiefer – fühl den Schmerz,
Distanz, die sich in Liebe kehrt.
In Tränen, die die Wunden heilen,
Geben wir der Welt den Wert.

Noch tiefer suchen, Fragen stellen,
Die Wahrheit, die sich offenbart.
Im tiefen Ozean des Lebens,
Finden wir, was uns bewahrt.

Unausgesprochene Gefühle

Worte, die wir nicht laut sagen,
Gedanken, die im Innern laben.
Unausgesprochen ist die Kunst,
Gefühle treiben wie der Dunst.

Blicke senden stille Botschaft,
Ohne Laut und ohne Wort.
Was tief im Innern ungesprochen,
Ist droben wie ein leeres Tor.

Ein Herz, das still, doch laut sich zeigt,
Der Seele, die sich lautlos neigt.
Träume, die im Schweigen leben,
Geben uns die Kraft zu geben.

Unausgesprochene Gefühle,
In der Stille finden Raum.
Zwischen Schatten und den Lichtern,
Wächst ein ungebrochner Baum.

Unruhige Seelenflüsterer

In Nächten, die verborgen schwiegen,
Suchen Geister ohne Ruh.
Ihre Flüstern, leise, lieben,
Findet Herzen, nie genug.

Durch die Schleier alter Zeiten,
Zieht das Wispern ungehört.
Wo die Träume still verweilen,
Wird die Seele oft verstört.

Jedes Wort und jede Geste,
Weben unsichtbare Band.
In den Tiefen unserer Feste,
Findet keiner festen Stand.

Doch in dieser leisen Stunde,
Wo das Herz die Stille kennt.
Stärken wir der Seelen Wunde,
Bis das Leid im Lied verrennt.

So verweilen wir im Schweigen,
Hören zu, was uns befreit.
Bis der Morgen, sanft sich neigen,
Und die Ruh' uns wieder leiht.

Teilsichtsatelliten

Durch die himmlischen Bahnen,
Ziehen Lichter hell und klar.
Ihre Wege, die wir ahnen,
Bleiben dennoch sonderbar.

Teilsicht unserer Horizonte,
Lenken Blicke, nah und fern.
Lebenstraum und Sternenschworte,
Kreist um uns, wie aus dem Kern.

Doch ihr Licht, so klar und heiter,
Zwingt uns oft, nach Sinn zu suchen.
In den Weiten, immer weiter,
Hoffen wir auf neues Buch.

Jede Umlaufbahn ein Staunen,
Jede Nacht ein neuer Blick.
Schicksals Sterne, sie umgauen,
Unsere Träume, Stück für Stück.

Vielleicht sind wir nur Passagiere,
Dieser Reise durch die Zeit.
Zu den fernen Lichtreviere,
Führt uns Herz und Einsamkeit.

Uneindeutige Blicke

Augen, die im Schatten fliegen,
Flüchtig, nie zu fangen sind.
Ihre Tiefe mag verschwiegen,
Doch im Herzen wir sie find'.

Wenn der Blick ein Rätsel bleibt,
Und das Wort die Stirn umschleicht.
Ist das Herz, vom Nebel treibt,
Sehnsucht, die im Dunkeln weicht.

Uneindeutig sind die Dinge,
Die wir täglich neu erblicken.
Doch ein Lächeln auf den Lippen,
Kann für kurze Zeit entzücken.

In den Augen and'rer Seelen,
Finden wir den inneren Kern.
Manchmal flüchtig, manchmal fehlen,
Doch das Suchen haben gern.

Bleiben Blicke, die uns deuten,
Auf der Suche, neu zu schauen.
In den Rätseln uns'rer Zeiten,
Kann die Liebe weiterbauen.

Versteckte Andeutungen

Zwischen Zeilen, zwischen Wörtern,
Liegt versteckt die wahre Macht.
Fließen leise wie die Flötner,
Durch die Tiefen dunkler Nacht.

Jedes Wispern, jedes Stillen,
Sind die Zeichen leerer Zeit.
Hinter Masken, hinter Willen,
Ist die wahre Menschlichkeit.

Deuten wir die stummen Gänge,
Durch ein Labyrinth aus Licht,
Hoffen stets in diesen Stränge,
Dass das Herz die Wahrheit spricht.

Feine Knoten, feste Zeichen,
Halten fest und lassen los.
Doch in Worten, die entweichen,
Bleibt das Sehnen nie ganz groß.

In den Grüßen, die wir senden,
Liegen Zeilen, leise, sacht.
Zwischen Worten, die wir wenden,
Wird ein neues Band entfacht.

Verwickelte Zeilen

Inmitten der Schatten, verschlungene Gänge,
finden sich Worte, die nie ganz verhallen.
Tief in dem Herzen, verborgen die Klänge,
schreiben sie hoffend, in endlosen Hallen.

Jedes Gefühl spricht in verwickelten Reimen,
trägt uns durch Nächte, durch sternlose Tage.
Zeichen verbinden sich, fließen in Scheinen,
tragen die Hoffnung und tragen die Frage.

Unsichtbar zeichnen sich schwebende Linien,
vielleicht sind sie da, vielleicht sind sie Scherze.
Doch wir ergründen die feinen Nadeln,
die Liebe und Leid in verwickelte Herzen.

Bemüht, die Muster im Dunkeln zu spinnen,
kämpfen wir weiter, ein ewiger Tanz.
Endlos die Zeilen, die wir bestimmen,
erhellen Momente im tiefen Trance.

Verwickelt die Wege, durch Zeiten und Meere,
doch stets bewegen wir uns, Hand in Hand.
Pfade verweben das Karge ins Leere,
bauen die Brücke ins Traumland.

Schemenhafte Zeilen

Im Schein der Lichter, die Schatten sich regen,
flüstern die Worte des Nachts ins Ohr.
Während die Zeit in sich selbst zu verwegen,
dienen die Zeilen als stiller Tor.

Zwischen den Welten, wo Träume verfliegen,
ziehen uns Sätze in tieferes Grün.
Schemenhaft leuchten die Wörter, die wiegen,
tanzende Bilder im Nebel des Seins.

Geister der Sprache, die sanft sich durchdringen,
erzählen uns leise von früheren Tagen.
Spiele der Töne, die Melodien bringen,
schemenhaft Klarheit in vage Frag.

Eingehüllt in das sanftgraue Schweben,
erlauben uns Dinge, die andern verborgen.
Durch die Versspuren, in zarten Geweben,
zieren die Zeilen das Licht eines Morgens.

Wächtern der Dichte, unsichtbar gelehnt,
schreiben wir weiter im Traum ihrer Wellen.
Schemenhaft wechselnd, der Schriftzug ersehnt,
wo sich die Geister und Menschen vermengen.

Harmonie der Stille

Während die Welt in Getöse verhallt,
treten wir leise, beschreiten die Stille.
Klarheit in Tönen, die Stille entfällt,
Frieden in Zeiten des ewigen Willens.

Zauber verborgener, unsichtbarer Klänge,
finden wir Halt im harmonischen Raum.
Melodien die uns leise durchdrängen,
gleiten in Träumen und weichen kaum.

Schweigend die Ruhe in sanftem Gewand,
mit der Natur in Einklang verweben.
Stille die Zeiten, sie ziehen durch Land,
während die Harmonie uns lädt ein zum Leben.

Kränze aus Frieden und Ruhe gebunden,
tragen uns sanft durch den Lauf der Zeit.
Worte wie Seile, die Herzen verbunden,
fügen wir sanft in die Ewigkeit.

Hauch der Gelassenheit ziert unser Dasein,
schöpfen die Kraft aus dem stillen Gemüt.
Harmonie der Stille, die schönste Empfindung,
die tief in der Seele uns ewiglich blüht.

Im Nebel der Worte

Verstrickt in die Wolken aus Nebel und Sinn,
wandern die Worte, ihr Dunst uns umarmt.
Finden die Zeilen im Wechsel der Stimmen,
schreiben wir weiter, in Stille verstarrt.

Trügerisch schimmernd, im Dunst eines Traums,
wehen die Verse durch Nacht und durch Tag.
Bilden die Brücke zu fernen Gefilden,
wo sich die Worte in Nebel verlag.

Fließend die Grenzen von Wirklichkeit tränken,
unsere Seele in flüchtigen Bächen.
Nächtlicher Dunst, mit Klängen und Denken,
verhüllt alle Antworten in sanftem Sprechen.

Tanzende Wörter, verschleiert und rein,
bilden Geschichten, die jeder versteht.
Im Nebel der Worte, da finden wir Heim,
wenn uns die Welt der Klarheit enthebt.

Geistige Nebel, bei Tagesanbruch,
auflösen bald, doch sie bleiben uns nah.
Die Worte, sie tanzen durch Zeit und durch Buch,
bilden im Nebel Geschichten, so klar.

Geheimsprachliches Murmeln

Im Schatten der Nacht, ganz leis,
flüstert die Welt, versteht man kaum,
Geheimsprachliches Murmeln im Kreis,
die Träume spinnen ihren Raum.

Ein Raunen über weite Felder,
gesponnen aus Licht und losem Klang,
hüllt sie ein, die Schlummerhelder,
geborgen im Gedankenfang.

Im Mondenschein die dunklen Gassen,
sprich ein Wort in sanfter Ruh,
ein Rätsel, das wir nie erfassen,
wir lauschen dem verborgenen Du.

Durch Nebel tauchen Bilder auf,
schweben, flüstern weit und nah,
ein leises Streifen, sanfter Hauch,
verborg'ne Welten sind schon da.

Drum lausche dem geheimen Wort,
das sanft durch deine Träume flieht,
den Schlüssel findest du im Ort,
wo das Schweigen mit der Seele zieht.

In den Zwischenräumen

Zwischen Tag und Traum versunken,
schweben wir in leisem Raum,
Momente, kaum bei uns gedunken,
malen ihre stille Schau.

In den Fugen uns'rer Zeiten,
hört man Echos, zart und fern,
lassen in den Herzen weiten,
Spuren eines lichten Stern.

Unsichtbare Brücken spannen,
über Schluchten unbenannt,
schwarz und weiß, die Farben rannen,
mischten sich im Zauberland.

Durch den Schleier alter Weiten,
lächeln Lichter mild und nah,
die Magie verborgener Zeiten,
wird im Atem wieder klar.

Flüstern durch das stille Hohl,
trägt die Seele sacht empor,
die Welt im Traum ist gleichwohl,
ein Griff nach Sternentor.

Gedämpfte Klänge

Gedämpfte Klänge in der Ferne,
ein leises Spiel aus grauem Dunst,
wie eine Flut in müdem Sterne,
schwappt Melancholie und Kunst.

Ein zartes Lied, kaum zu hören,
verhallt im Mantel stiller Nacht,
trägt hinweg die alten Ehren,
die in Ewigkeit erwacht.

Flüsternd zieht es durch die Weiten,
eine Melodie, voll Gram,
lauschen, was die Geister deuten,
wird zum sanften Zeitentraum.

Das Rauschen der Vergangenheit,
in sanften Tönen hallt es nach,
malt Geschichten, stille Freude,
ein Echo alter, heller Schmach.

Gedämpfte Klänge, leise Hall,
ein ewiger Tanz durchs Raum und Zeit,
werden uns in Sehnsucht prall,
begleiten auf dem stillen Pfad.

Lautlose Knotenpunkte

An den Kreuzungen des Lebens,
wo das Schicksal still verweilt,
finden sich im Streben,
Träume lautlos abgeheilt.

In den Knotenpunkten schweigend,
verwoben in das dichte Netz,
Herzen setzend, nie mehr scheidend,
ein unsichtbares, festes Setz.

Flimmernd durch das dichte Gewebe,
zieht die Seele leis' empor,
ierne Macht der leisen Strebe,
gehüllt in schlichtes Metaphor.

Gedanken fädeln, still im Bunde,
ein Lied der laut' und leise Macht,
Knotenpunkte, die verborg'ne,
Kraft in sich gerichtet, sacht.

Lautlos schweben wir, verpflochten,
durch die weiten Räume leis,
Leben an den Schicksalssochten,
zeichnen still ihr tiefes Kreis.

Zwischen den Umrissen

Zwischen den Umrissen aus Licht und Schatten,
Zeichen, die wir kaum vernahmen,
Verweben sich Träume in stillen Nächten,
Flüstern von vergessenen Namen.

Hier tanzen die Geister vergangener Zeiten,
Verborgene Wege entlang,
Unterm Mond, in silbernen Weiten,
Ein heimlicher, endloser Gesang.

Und die Sterne flimmern leise,
In der Ferne, doch so nah,
Wie eine ewige, zarte Reise,
Durch ein Meer aus Atem und Hauch.

Gedanken, die im Dunkel spielen,
Berühren die Seele im Schlaf,
Zwischen den Umrissen fühlen,
Ein tiefes, magisches Band.

Spuren, die in der Stille liegen,
Zugewispert vom Wind der Zeit,
Was die Augen nie vermögen zu siegen,
Jenseits der greifbaren Wirklichkeit.

Verborgene Botschaften

Zwischen den Zeilen, in leisen Wörtern,
Verstecken sich geheimnisvolle Zeichen,
Boten, die die Nacht erhellen,
Mit Flügeln, zart und seiden.

Aus tiefen Wunden fließen Silben,
Sprechen in einer fremden Sprache,
In den Herzen derer, die sich lieben,
Hört man ihre stillen Klagen.

Doch im Schweigen liegt die Wahrheit,
Ein Netz aus unsichtbaren Fäden,
Jeder Blick, ein leiser Pfad,
Zu einer Welt, die wir nur erahnen.

In den Schatten der Realität,
Liegen Rätsel, die wir nie verstehen,
Verborgene Botschaften, so zart,
Dass sie im Morgenwind verwehen.

Und wer lauscht, wird Antworten finden,
In den Tiefen der eigenen Seele,
Wo Träume und Gedanken winden,
Sich verflechten zu einem Gefüge.

Stille Offenbarung

Im Nebel des Morgens, wenn alles schweigt,
Offenbart sich ein Hauch der Ewigkeit,
Die Welt, in sanfte Farben getaucht,
Eine stille, verborgene Wahrheit.

Jede Welle, die ans Ufer schäumt,
Erzählt von unendlicher Ferne,
Ein Flüstern, das die Zeit versäumt,
Und die Sterne berührt in der Ferne.

In der Ruhe eines einsamen Sees,
Spiegelt sich das Licht der Sterne,
Eine sanfte, unendliche Bühnenpräsenz,
Eine stille Offenbarung der Ferne.

Die Bäume flüstern im sanften Wind,
Alte, vergessene Geschichten,
Ein Geheimnis, das beginnt,
Sich zu entfalten in unseren Blicken.

Eingehüllt von diesem Frieden,
In der Welt, die uns umgibt,
Fühlen wir uns unbeschieden,
Von der Weisheit, die in allem liegt.

Leise Andeutungen

Leise Andeutungen in einer Geste,
Ein Blick, der mehr sagt als Worte,
Eine Wahrheit, sanft ihr Wespe,
Im Schweigen, das wir horten.

Die Luft erfüllt von sanfter Spannung,
Ein Wispern, das das Herz umhüllt,
Momente voller tiefer Ahnung,
In denen die Zeit für uns stillt.

Ein Lächeln, das die Stille bricht,
Eine Hand, die zart berührt,
In diesen leisen Augenblicken,
Wird die Seele sanft geführt.

Das Unausgesprochene lebt im Raum,
Ein Geheimnis, zart und fein,
Wie ein lang gehüteter Traum,
Vom Wind getragen, rein.

Leise Andeutungen, kaum vernommen,
Erzählen von verborgener Magie,
Eine Welt, die still erklommen,
Von der sanften Melancholie.

Ungehörte Stimmen

Flüstern in den Winden, leise und klar,
Sie tragen Geheimnisse von weit und fern.
Ungehörte Stimmen, im Schatten der Nacht,
Erzählen Geschichten, im Sternenlicht erwacht.

In den Gassen und Straßen, hört man sie kaum,
Sprechen von Zeiten, Vergangenheitstraum.
Nur die Seele vermag, ihren Ruf zu verstehn,
Im Herzschlag des Lebens, unsichtbar zu bestehn.

Ihr Flüstern erzählt von verlorener Zeit,
Von Träumen und Hoffnungen, zart und bereit.
Verborgene Klänge, die keiner bemerkt,
Sind wie der Wind, der stumm uns bestärkt.

Ungehörte Stimmen, die niemand begreift,
Sie singen von Liebe, die ewig verbleibt.
Eine Melodie, die in den Herzen erklingt,
Von den Geistern der Nacht sachte umringt.

Ein Chor aus Flüstern, ein sanftes Gebet,
Von der Ewigkeit selbst ins Ohr gelegt.
Ungehörte Stimmen, in der Stille vereint,
Begleiten uns leise, wenn die Zeit verweilt.

Unsichtbare Bedeutungen

Zwischen den Zeilen, so viel nicht gesagt,
Verborgene Botschaften, zart angefragt.
Unsichtbare Bedeutungen, die niemand sieht,
Erzählen von Leben, wie es niemanden flieht.

In jedem Wort ein Geheimnis versteckt,
Ein Schimmer der Wahrheit, zögerlich entdeckt.
Im Fluss der Gedanken, leise und sacht,
Offenbaren sie Sinne, unendlich bedacht.

Jede Geste, ein Buch, ungeschrieben und stark,
Von unsichtbarer Bedeutung, klug und bemerk.
In Augen ein Funkeln, das alles erzählt,
Ein Blick, der die Seele aus Licht nur gewählt.

Manche Dinge sind verborgen, nur leise gesangt,
Unhörbar für Ohren, von Schmerzen umrankt.
Unsichtbare Zeichen, im Schweigen verpackt,
Sind die Klänge des Lebens, die niemand verkackt.

Eintauchen im Fluss der verborgenen Welt,
Wo Bedeutung oft nicht in Worte verfällt.
Unsichtbare Botschaften, tief innen drin,
Enthüllen das Sein und den wahren Sinn.

Im Schatten der Gedanken

Dunkle Ecken im Geiste, wo das Licht nie scheint,
Flüstern von Ängsten, die keiner beweint.
Im Schatten der Gedanken, verborgen und kalt,
Erwachen die Wahrheit, die man selten erzählt.

Träumend durchs Leben, im Geiste gefangen,
Ein Netz aus Erinnerungen, eng umfangen.
Ein Tanz der Gefühle, im Schatten der Nacht,
Gefangen im Denken, im Seelentaumel erwacht.

In den Tiefen des Geistes, ein Spiegelbild,
Wo Wahrheit und Lüge sich leise verhüllt.
Die Schatten der Gedanken, sie wandern sacht,
Durch die Weiten des Ichs, unendlich bedacht.

Ein Spiel der Vernunft, ein leises Gebet,
Im Gedanken getaucht, der Flügel verleiht.
Schattenhafte Träume, die in der Stille verwehn,
Ein Reigen des Geistes, unendlich schön.

Im Schatten der Gedanken, verborgenes Licht,
Ein Flüstern des Selbst, das oftmals zerbricht.
Doch im Dunkel des Geistes, verbirgt sich ein Schein,
Eine Wahrheit des Lebens, so klar und rein.

Unentdeckte Welten

In den Tiefen der Herzen, verborgen und still,
Liegen Welten des Seins, mit unendlichem Will.
Unentdeckte Länder, voll Träumen und Licht,
Erwarten die Seelen, die keiner besticht.

Gedanken sind Schiffe auf unendlichem Meer,
Segeln zu Horizonten, die keiner kennt mehr.
Unentdeckte Welten, verborgen und weit,
Nur sichtbar im Geiste, bereit jeder Zeit.

Jede Vision ein Tor, zum Neuen und Fern,
Länder des Geistes, die niemand verwehrt.
In den Tiefen der Seele, ein leises Erwachen,
Unentdeckte Welten, die das Herz neu entfachen.

Ein Universum verborgen in jedem diesseits,
Ein Reich der Wunder, das in Ewigkeit bleibt.
Gedanken erschaffen, was die Augen nur sehen,
Unentdeckte Welten, in denen wir bestehen.

In Träumen verwoben, im Schlaf nur geneigt,
Liegt die Wahrheit der Welten, unendlich bereit.
Unentdeckte Pfade, in uns verborgen,
Sind Hoffnung und Zukunft, die tragen uns morgen.

Im Schweigen vergraben

Im Schatten der Nacht, wo Stille ruht,
Verliert sich das Herz in tiefer Glut.
Kein Laut dringt vor, kein Wort, kein Schrei,
Im Schweigen vergraben, so endlos frei.

Geheimnisse flüstern im Schweigen sacht,
Verbergen sich tief in der dunklen Nacht.
Ein Seufzer, ein Wispern, das niemand hört,
Die Seele im Stillen sanft betört.

Gedanken tanzen im lautlosen Raum,
Wo Träume weben den zartesten Traum.
Schweigend verweilt hier das Herz, so tief,
Wo niemand die leiseste Sehnsucht rief.

Im Schweigen vergraben, ein stiller Hort,
Ohne ein Echo, ohne ein Wort.
Die Zeit scheint hier stillzustehen,
Im Schweigen kann man die Ewigkeit sehen.

Mehr als Worte

Ein Blick sagt mehr als tausend Worte,
Eine Berührung bricht die härtesten Pforte.
Ein Lächeln schenkt dir warme Geborgenheit,
Mehr als Worte, in der stillen Zweisamkeit.

Augen sprechen, traumverhangen,
In ihrem Glanz, die Seelen gefangen.
Ein Flüstern, flüchtig, doch so klar,
Mehr als Worte, wundervoll und wahr.

Hände, die sanft dein Gesicht berühren,
Mit jedem Finger Gefühle sanft entführen.
Kein Laut, kein Ton, nur stumme Lieder,
Mehr als Worte, kehren sie wieder.

Die Liebe, sie spricht in leisem Licht,
Wo Worte versagen, da spricht das Gedicht.
Mehr als Worte, ein ewiges Band,
In einer Welt, die niemals verschwand.

Unausgesprochene Geschichte

In Augen geschrieben, die Verse der Nacht,
Eine unausgesprochene Geschichte entfacht.
Verborgene Worte in Schweigen gehüllt,
Von einer Liebe, die still erfüllt.

Im Wind fliegen Briefe, niemals versandt,
Bedeckt von der Zeit, vom Sand überrannt.
Ein Gefühl, so tief wie der Ozean,
Eine Geschichte, die kein Ende bann.

Vergangenes Leid, in Stille verwebt,
Jede Erinnerung, geflüstert, belebt.
Die Herzen schlagen, im stillen Einklang,
Ein Lied der Seelen, das ungesungen rang.

Die unausgesprochene Geschichte bleibt wahr,
In jedem Blick, in jedem Jahr.
Ein Mysterium, das niemand versteht,
Doch dessen Zauber niemals vergeht.

Im Verborgenen Wind

Ein Hauch, ein Flüstern, im verborgenen Wind,
Geheimnisse trägt er, so still und geschwind.
Verborgene Botschaften durch die Lüfte gehaucht,
Von uralter Weisheit, die niemand verbraucht.

Ein Lied, das die Winde leise singen,
Von Freuden, von Leiden, die Zeiten verschlingen.
Unsichtbar tanzt er durch Nächte und Tage,
Eine unsichtbare Macht, die niemand zu wage.

Die Bäume, sie flüstern, die Blätter erzittern,
In seinem Spiel, so federnd und bitter.
Er trägt all die Träume, die niemand je fand,
Ein geheimnisvoller Hundertfaden-Band.

Im verborgenen Wind, da lebt die Magie,
Eine Welt voller Wunder, voller Poesie.
Durch Gezeiten getragen, von Ewigkeit zu Hand,
Erweckt er die Seele, im fremden Land.

Verdichtete Wahrnehmung

In stillen Wäldern schweigt die Zeit,
Gedanken fließen sanft und weit.
Ein Flüstern weht im Abendlicht,
Ein Hauch von Ewigkeit verspricht.

Die Sinne tanzen zum Windessang,
Wie Nebelschleier, leis und bang.
Unendlichkeit in seinem Schleier,
Erlebt die Seele, neu und freier.

Ein sanfter Hauch von Poesie,
Umarmt die Welt in Symphonie.
Die Augen sehen tief und klar,
Im Herz das Leben, wunderbar.

Geheimnisse in Schatten gehüllt,
Die Dunkelheit die Stille füllt.
Ein Seelenlied in Ewigkeit,
Verdichtete Wahrnehmung, bereit.

Im Dämmerlicht, das sanft sich neigt,
Ein Hauch der Zeit, der niemals schweigt.
Die Welt erstrahlt in sanftem Schein,
Erleuchtet von Gedanken rein.

Kryptische Verse

Ein Rätsel liegt in tiefem Grund,
Verwoben ist des Traumes Bund.
Verschlüsselt Sprache fern und nah,
Ein Echo, das sich nicht verlor.

Gedanken kreisen, flüchtig schnell,
Wie Federn in dem Dämmerquell.
Ein Zeichen, das entschlüsselt spricht,
Vom Schattenlicht ins Sternenlicht.

Im Labyrinth der Worte still,
Ein Rätsel, das ich finden will.
Verborgen ist die Antwort dort,
Verhüllt am mystisch dunklen Ort.

Ein Flüstern, das die Stille bricht,
Ein Hauch von Licht im Dunkel spricht.
Die Seele findet, was sie sucht,
Im Satz der Nacht, im Wort verflucht.

Kryptische Verse, tief und frei,
Entfalten sich wie fernes Blei.
Ein Lied aus ätherischem Klang,
Von Ewigkeit und Himmelssang.

Das Verborgene enthüllen

Im Dunkel liegt das stille Licht,
Ein Geheimnis, das zu uns spricht.
Die Schatten tanzen sanft und leis,
Das Leben selbst, so warm und heiß.

Verborgen in des Himmels Weite,
Ein Wissen, das die Nacht begleitet.
Die Sterne flüstern Sturm und Wind,
Ein Rätsel, das im Traum beginnt.

Ein Funkeln in der Dunkelheit,
Die Wahrnehmung, sie wird befreit.
Das Unbekannte wird erhellt,
Und tief im Herzen sanft erhellt.

Ein Weg des Lichts im Dämmerstrahl,
Ein Faden, dünn und doch so schmal.
Die Seele findet, was ihr fehlt,
Ein Licht, das ihre Reise wählt.

Das Verborgene enthüllen wir,
Ein Bild von Licht und Schattenzier.
Die Zeit enthüllt ihr wahres Sein,
Im Herzen klar und hell und rein.

Ein Schleier hebt sich, still und weich,
Erhellt den Geist, so sanft und gleich.
Das Unbekannte trifft uns hier,
Vereint in Licht und Schattenzier.